Analog assets management way

簡単な暗号化と書き込み式で
安心・安全・効果的！

アナログで管理する ID&パスワードノート

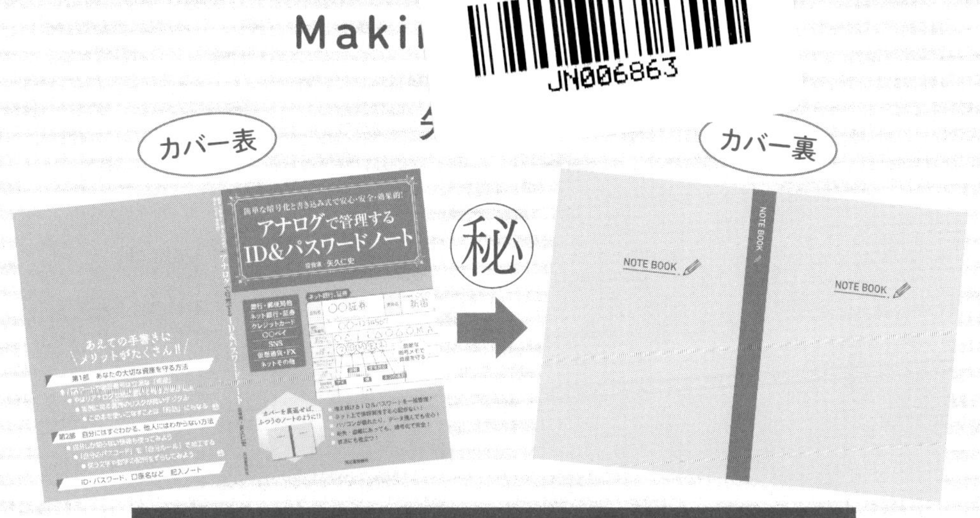

この本のカバーを裏返しにするとあなたの大切なデータを守るノートに変えることができます!!

河出書房新社

はじめに

私の投資歴は35年以上になります。日本株、中国株、米国株、タイ株、インド株と株式投資の幅は広く、債券、不動産、仮想通貨にも投資していて、資産も以前からＦＩＲＥ（早期リタイヤ）可能な金額になっています。

資産が増えていく上で不安になることは、その管理方法です。銀行や郵便局にも現金をストックしていますが、ＡＴＭでの出金はカードや通帳と、たった４ケタの暗証番号です。たった４ケタでは不安ですから、銀行では生体認証登録をしています。

金融関係の銀行、証券会社、仮想通貨取引所などは、ネット上の取引が主になってきていますから、ＩＤ、パスワード、暗証番号（ＰＩＮ）の管理はとても大切です。

ＩＤ、パスワード、暗証番号といえば、金融関係以外でもネット上では数多く使用されていますが、そのすべての個人情報は「資産」だと私は思っています。

ＳＮＳや通販、旅行、ゴルフ、チケットの予約、契約の手続き変更、ＱＲコード等の○○ペイ関係、各種ポイント、メール登録変更や、簡単なものならスマホ、ＰＣ、タブレットの起動、ソフト管理など挙げたら切りがないほど数々の数字、文字の個人情報である「資産」をみなさんはお持ちです。

これだけ多くのものを持っていると、管理ミスも起きます。現に私は長年使っていたメールアドレスをＩＤ、パスワード変更時にメモしておかなかったせいで戻れなくなりました。

このＩＤ、パスワード、暗証番号の管理は、パソコンに専用ソフトを入れて行っている方や、エクセルに打ち込んでいる方、スマホのメモ帳にすべて書き込んでいる方、ノートのすみに手書きしたり、フセンに書いて貼りつけている方もいますし、すべて同じものを使用している知人もいます。

でも、これでは安全を確保できません。データ流失や他人に盗み見られたりする可能性はゼロではありません。

私が実行しているのは、紙の専用ノートに書く方法です。それも大切なＩＤ、パスワード、暗証番号は自分の記憶から消えない数字や文字で作り、それをさらに簡略文字に置き換えたり、記録する際、そこに変化をつけます。

複雑なように見えますが、いたってシンプルな作成方法と記録方法です。ノートの持ち主がわからなければ、解明が難しいものに仕上がります。

このノートは、自分の「資産管理」だけでなく、終活にも利用できると思っています。ＩＤ、パスワード、暗証番号が家族に丸わかりとなるのではなく、どんな資産を持っていたのかが残された家族にわかるヒント本になります。

他人が手に入れても利用できないこの資産管理ノートを、ぜひ多くの方が活用されることを期待いたします。

投資家　矢久仁史

簡単な暗号化と書き込み式で安心・安全・効果的！

アナログで管理する ID&パスワードノート

第１部 あなたの大切な資産を守る方法

ＩＤ＆パスワード、暗証番号、口座名など　記入ノート

ID&Password

第1部

あなたの大切な資産を守る方法

Making method

パスワードや暗証番号は立派な「資産」

●●●

みなさんは「資産」という言葉から、どのようなものをイメージしますか？

金融機関の円や外貨の預貯金。ＮＩＳＡ（少額投資非課税制度）をはじめとする積立金や企業年金ほかｉＤｅＣｏ（個人型確定拠出年金）などの年金、投資をしていれば株や債券、それに加入している生命保険や住まいをはじめとする保有している各種の不動産。あるいは金やプラチナに宝石などといった「現物」を持っている人もいるでしょう。そして最近流行の「仮想通貨（暗号資産）」……。

いろいろ思い浮かぶと思いますが、多くの人の頭から抜け落ちている重要な「資産」があります。

それは「ＩＤ」「パスワード」や「暗証番号」などです。

●●●

さまざまな資産が金庫にしまわれているとするならば、パスワードや暗証番号などは、その資産を守る「鍵」です。なくしたら資産の管理に支障が出て、仮に他人の手に渡れば、資産管理に危険性が生まれます。

その「鍵」でもある「資産」に守られている「資産」もあります。

すぐに思い浮かぶものとしては、取引している金融機関や証券会社の口座やクレジットカードがあるでしょう。

ほかにもＳＮＳ、スーパーや百貨店などのショッピングサイト、マイページなどを作成している会員制サイトのように、サービスを受けるためのトビラを開ける鍵として、パスワードや暗証番号などは活用されています。

もちろん非インターネットサービスでの活用機会も豊富です。

とっても大事な「資産」の存在を忘れていませんか？

「資産」を守るために
再認識したい作成と管理術

●●●

ＩＤ、パスワードや暗証番号などは「資産」の一部としても重要な存在なのに、その重要性をきちんと理解していないと、ついつい扱いが雑になってしまいます。

これでは家に鍵もかけず「いつでもご自由に」と張り紙して周囲に知らせているようなもの。実に危険です。

ですから私は、「資産」そのものを大切に扱うことはもちろん、それ以上に「資産」の「出入り口」としての「ＩＤ」「パスワード」「暗証番号」などを大事に取り扱っていくことは、とても大切だと思っています。

ＩＤ、パスワードや暗証番号などを「資産」と考えるなら、必要となるのはその作成と管理です。その基本的なノウハウを、本書では説明していきます。

まずは「管理」の前に必要とされる「作成」について考えてみましょう。

みなさんは、「銀行口座の暗証番号が数字４ケタって、危険じゃないかな？」と感じることはありませんか？

多くの各種インターネットサービスなどが、なるべく大きいケタ数、数字以外にアルファベットなどの使用を推奨することが当然となってきた状況に比べると、数字４ケタというのは、たしかに安全性に欠けます。

それなのに銀行のＡＴＭなどで、周囲に気を配らず暗証番号を打ち込む人はいます。日本では、のぞき見されやすい構造のＡＴＭも珍しくはありません。

証券会社のホームページでも、ログイン画面にはパスワード変更のお願いがよく出ますし、ネット上にはさまざまな「なりすまし」が後を絶ちません。

そんな世の中だからこそ「資産」の管理は大切で、「作成」は重要なのです。

大事な「資産」だからこそ「作成」「管理」が大切

ID、パスワードや暗証番号＝資産

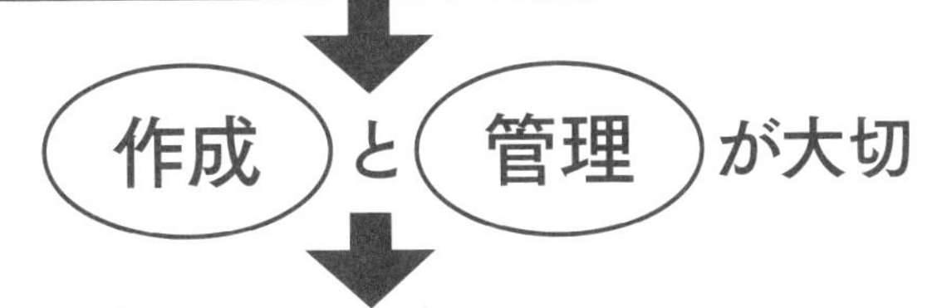

安全性が高い
ものを作る

他人に見られても
わからないルールで
保存

扱いやすいもの
忘れないものを作る

変更したら
すぐ記録

機器により記録するデジタル、人の手で記録するアナログ

●●●

本書ではデジタルとアナログの定義をそれぞれ、「機器を用いて記録する方式」「人の手で記録する方式（手書き）」とします。

デジタルは一定の「区切り」を用いて情報を記録します。アナログは一定の「区切り」を用いることなく情報を記録します。数字で表示されるデジタル時計と、流れるように動く針で表示されるアナログ時計の違いと同じです。

デジタルの最大のメリットは、「再現性が高い」ということです。コピーしても劣化しない、ということです。劣化しないというのは「正確」ということも意味します。

デジタルの特徴である「区切りがある」ことが、正確に再現しやすい＝コピーしやすい、状態を生んでいます。

●●●

みなさんも普段、パソコンなどでコピーペースト機能を使っていると思います。簡単な操作ひとつで、同じ情報を何度でも複製できることを経験しているでしょう。しかし、この簡単にできる確実な再現性というのは、悪用されれば盗用や偽造が簡単にできることも意味します。悪用されれば、大きなメリットは大きなデメリットに取って代わられるのです。

もうひとつのデメリットは、「保存データが壊れるリスクがある」ことです。自分で何の手も加えていないのに突然、使用不可になる可能性があります。

そして壊れてしまったデータの復元や修復は容易ではありません。データのコピーを別の場所、例えば外付けＨＤＤなどにも保存（バックアップ）しておくように勧められるのは、このような事態に備えるためです。

アナログのデメリットはメリットにできる

アナログの最大のメリットは、たくさんの情報を感覚的に理解できる状態で保存できることです。一目瞭然という状態で多くの情報を保管しておくのに向いています。これは本書で私が目指している方向性とも一致します。

そして最大のメリットは、データが自然に破損する可能性が著しく低いことです。

「感覚的に」というのは、裏返せば「あいまい」ということ。だから正確性に難があり、再現性がデジタルと比べるとはるかに低くなってしまいます。

これはアナログのデメリットとされますが、本書では大きなメリットとして活用します。

コピーに不向きで正確さが欠けているということは、盗用や偽造がされにくいことを意味します。先に見たように、デジタルではコピーペーストというシンプルな操作ひとつで、いとも簡単にデータを自由に何度でも複製できました。ところがアナログでは、デジタルのような簡単にデータを複製できるシンプルな操作がありません。

デジタルとアナログ 長所と短所を比較！	機器による記録 ＝デジタル	人の手で記録 ＝アナログ
情報の 扱いやすさは？	必要な情報を瞬時に 把握しやすい	多くの情報を感覚的に 把握しやすい
データを コピーすると？	正確に複製できて 劣化しない	コピーに不向きで 正確に複製できない
データの 保管能力は？	自然に破損する 危険性がある	破損しにくく 復旧もしやすい

やはりアナログな紙に書いて残す方法が安全

●●●

前のページでデジタルとアナログ双方の長所と短所について確認しました。そのうえで「資産」の「管理」となると、安全性ではデジタルよりもアナログに軍配が上がります。
「正確で劣化しないデジタルが、なぜアナログに負けるの？」と思う人も多いでしょう。しかし、ここに落とし穴があります。「正確で劣化しない」というメリットを悪用された場合を考えてみてください。

●●●

たまに「個人情報が○万件流出」というニュースを見ます。これはデジタルで保存されたデータだからこそ「正確に」「劣化させることなく」悪意の第三者が盗み出せたのです。しかも大量のデータを、時間をかけることなく抜き出すことができてしまうのです。さらに、即座に悪用できてしまうのです。

これがアナログ保存されたデータならどうでしょう。例えば個人情報をファイルした帳簿があるとして、ここから数万人分のデータを抜き出すとしたら……。原本を盗み出せれば「正確」ではあると思いますが、一度に大量にというのは難しいでしょう。しかも悪用しようと思ったとき、データをそのまま利用できないから書き写すなどのコピーが必要になりますが、ここで誤記してしまう（劣化させる）可能性もあります。

パソコンなどで打ち込んだ文書をコピーした場合、原本とコピーに違いは見られません。打ち込んだ人とコピーした人の差異が見られないということです。ところが紙に手書きされた文字なら、筆圧やクセなどがあるので、完全に同じく筆写することは、自分自身がチャレンジしても不可能です。

正確じゃないから安全ってどういうこと？

つまりアナログは、「あいまいだから安全」なのです。正確性に難があるから完全なコピーを防いでくれる。だからデジタルより「安全」なのです。

みなさんの中には昔、レコード盤の音楽をカセットテープにダビングして楽しんだ人も多いでしょう。そのテープから別のテープにダビングすると、音質は明らかに劣化しました。

これがよかったのです。アナログのあいまいさが功を奏して、自然と違法コピーを予防できていたのです。デジタル音源は、音質を劣化させることなく何回でもコピー可能です。だから悪用しようと思えば大量のコピーがいつでも作れてしまいます。

ほかにも紙による保管方法が確実性で勝る例を挙げましょう。

トイレでパスワードや暗証番号などが記録されたスマホを落とすと、下手をすればデータが全損して、一部でも復元や修復が困難なケースがほとんど。一方、それらを記入した紙なら、トイレで落として濡らしてしまい文字がにじんでも復元や修復が簡単にできます。

実例に見る漏洩（ろうえい）のリスクが高いデジタル

●●●

ここではパスワードや暗証番号などの管理をデジタルに頼ると危険だということを説明します。

インターネットを介して利用するサービスのアカウント、そのＩＤやパスワード、暗証番号などは、いたるところで「漏洩」のリスクを抱えています。

外出先で利用したフリーＷｉ－Ｆｉのセキュリティに不備があれば、通信内容は悪意の第三者に筒抜けです。巧妙に作られた偽サイトで必要な情報を本人に入力させる、という「フィッシング詐欺」も一般的です。最近では一見しただけでは本物と思えるほど精巧な偽サイトも珍しくありません。

ちなみにフィッシング対策協議会が発表した２０２１年２月のフィッシング詐欺報告件数は３万１０００件弱。前年３月と比べて３倍増です。

●●●

私たちのちょっとした隙を狙った犯罪者による「なりすましメール」。これはＳＮＳをはじめとするサービスを経由して日常的に繰り返されている迷惑行為です。

犯罪者は、Ａさんが利用しているサービスのアカウントに入るＩＤとパスワードを不法に入手。次いで犯人はパスワードを勝手に変更。そしてＡさんになりすまし、「フィッシング詐欺」などに使うメールを大量送信します。

一方のＡさんは、肝心のパスワードが変更されているので、サービスにログインできず、サービスが利用できなくなります。そのまま本人が放置してしまえば、犯罪者はＡさんの名前を借りてずっと詐欺行為を続けられます。知人が詐欺に巻き込まれれば、人間関係に亀裂が入ることは必至です。

「本物の鍵」より盗まれやすい「デジタルの鍵」

犯罪者はメールアドレスなどのアカウントＩＤさえわかれば、可能性がある配列すべてを順に試す「総当たり攻撃」でパスワードを入手できます。ケタ数が少ない、数字のみなど構成している要素が少ない、というようなパスワードほど解読しやすいのは、いうまでもありません。

そもそも「Ｓａｆａｒｉ」「Ｇｏｏｇｌｅ Ｃｈｒｏｍｅ」などのブラウザアプリは、使えば使うほど個人情報がたくさん詰め込まれていく仕組みになっています。利便性は向上する反面、漏洩するときはプライバシー全部が一気に他者の手に渡ってしまう可能性もゼロではありません。

ここでアナログ＝紙と比較してみましょう。

デジタルは、本人にその気がなくても落ち度がなくても、悪意の第三者に情報が伝わる危険があります。アナログは自ら他人に教えたり、不注意で情報を落としたりしない限り漏洩しません。

犯罪者にとって家の鍵を盗むのは大変ですが、デジタルの鍵を盗むのは、それより容易なことなのです。

簡単な入力操作で漏洩をチェックできるサイトがある

ＩＤ、パスワードや暗証番号などを含めた個人情報が漏洩していないかを、メールアドレスや電話番号を入力するだけで確認できる、誰もがアクセスできるサイトがあります。

流出した個人情報の悪用を防止することを目的に運営されるものがほとんどです。

これらのサイトの多くは膨大なアカウント情報を蓄積した独自のデータベースを持っています。

オリジナルの「自分のパスコード(暗号)」を作ろう

●●●

ＩＤ、パスワードや暗証番号なども「資産」と見なして「作成」するとき、「簡単に作れるけど他人にバレにくい」ものが理想的な形です。

そのためのツールとして本書で私は、「自分のパスコード（暗号）」作りを勧めます。第２部で詳しく説明しますが、「自分のパスコード」とは、作成も管理も簡単な「資産」を守るための理想的な道具です。

金融機関などでよく使われる４ケタの暗証番号から、英数字を駆使して作る長いパスワードまで赤の他人がわからない自分だけの暗号です。

これらを、ごく少ない「自分にしかわからない」統一ルールを使って、どんな用途でもいつでも自由に、新しいものを生み出せるようにしておく。それが、みなさんにも勧めたい私が実践してきた「自分のパスコード」です。

●●●

みなさんはパスワードや暗証番号などが必要になったとき、「思い出しやすい」「忘れにくい」ことを基準に作り出していると思います。ある程度は安全性を考慮して、「他人にバレにくい」ものを作り出してきたと思います。

しかし、この方法では、何かしらの通底するルールがないため、何かの拍子に忘れてしまったなどという場合、ヒントに乏しいゆえに思い出すのに苦労してしまいます。

ところが「自分のパスコード」は常に、「自分にしかわからない」シンプルなルールに基づいて作ることになるため、忘れてしまっても思い出すヒントが、すでに自分の中には作られていることになります。

そのため「簡単」「バレない」を両立させる「管理」が可能なのです。

「自分のパスコード」はメリットがいっぱい!!

パスワード・暗証番号

自分のパスコードで作ろう!!

作り方がシンプル

＝

忘れにくい！
思い出しやすい！

自分にしかわからない

＝

他人にバレない！
安心・安全!!

１文字多いだけで大違い！「http://」と「https://」

インターネットアドレスの冒頭にある「http://」と「https://」。１文字違いでも役割は大違い。

ログイン画面など個人情報を扱うページに用いられる後者。最後の「ｓ」は代表的なデジタル暗号技術のＳＳＬ通信を意味し、暗号化された状態で通信されるページだということを示しています。

かつては安心の目安とされましたが、これを使って本物感を出す詐欺サイトも急増しています。

自分の誕生日を使うのはダメなの？

●●●

「暗証番号に自分の誕生日を使用しないでください！」

そんな警告を銀行のＡＴＭや証券会社のホームページなどで見かけます。

使用すればリスクが究極といえるほど高いのに、そのことを正しく認識せずに使ってしまっている人が、今もなお多いからです。

キャッシュカードやクレジットカードの暗証番号。交通系ＩＣカードの暗証番号……。自分の誕生日だけで簡単に登録できる４ケタの暗証番号は使用頻度が高いもので、それだけリスクにさらされやすいのです。

このことはケタ数が多いパスワード類も同じで、安易に自分の誕生日を組み込んでいる人が少なくありません。

利便性だけを考えると「安全性」が疎（おろそ）かになるのです。

●●●

そこで自分が把握しやすいうえに他人にわかりづらいものを用意する必要があります。

これが意外と身近に何個もあって､だけど案外使われることが少ないので､「自分のパスコード」作りには、想像以上に向いています。

それは、「自分の」を使うのではなく「家族の」などを使うことです。

例えば誕生日を使いたいなら､パートナーの誕生日や子どもの誕生日など､自分以外の家族のものを使う。これなら忘れてしまう危険性も少ないうえに安全性も向上させることができ、さらに一気に有力な使用候補が増えます。

このように考えれば「自分の誕生日」にこだわる必要性がないことも、理解していただけると思います。

絶対忘れない数字が一番危険!?

知っておきたい こんなこと

フランスの文豪が遺した「自分にしか読めない」日記

『レ・ミゼラブル』作者のヴィクトル・ユゴーは生前、暗号や符号を取り交ぜたうえにフランス語に加えてスペイン語やラテン語まで用いるという複雑な手法で、「自分にしか読めない」日記をこまめに書いていました。

彼の死後に発見されて、文豪の私生活を知るべく解読作業が進みます。浮かび上がったのはユゴーの旺盛な「夜の営み」の記録でした。

「自分のパスコード」は意外と簡単に作れる！

●●●

すでに見たように「自分のパスコード」を作るための素材は、少し視点を変えるだけで、たくさん見つかることがわかりました。試しにどんな素材が使えそうか一緒に考えてみましょう。これは第２部で実際に用います。

「誰の」といわれて自分の人間関係を考えたとき、やはり真っ先に思い浮かぶのは家族でしょう。そんな自分にとって近しい人を、次々に思い浮かべて書き留めてみましょう。

一緒に住んでいて、「誕生日」をよく覚えている家族。例えば、パートナー、娘、息子、ですね。子どもは複数、という人もいるでしょう。

自分の父や母、あるいはパートナーの父や母、という人もいるでしょう。祖父母と同居している人もいるでしょう。

●●●

次に離れて暮らしているけど「誕生日」を忘れる可能性が少ない家族。これは兄弟姉妹が代表例でしょうか。

すでに一人暮らしを始めていたり、独立して新しい家庭を築いている子どもたちも対象です。

ここに自分の父母、または祖父母が含まれる人もいるでしょう。

ここで思い浮かべただけでも、素材の数は人によりますが５～10個ぐらいになるのではないでしょうか。

つまり、「自分の」だけに頼る方法と比べて単純に５～10倍、この時点でパスワードや暗証番号などの候補が増えるのです。そして、その分だけ解読されるリスクが減らせるのです。

ちょっと思い浮かべるだけで使える候補が続々！

次に「誰の」に組み合わせる素材として「誕生日」以外に、例えば「記念日」などを加えてみましょう。

すると、それらの組み合わせによって、さらにＩＤ、パスワードや暗証番号などに使える候補がグーンと増やせます。

どうですか？　複数の「自分のパスコード」の材料がたくさん用意できることがおわかりいただけたでしょうか。

具体的に、どのような考えに基づいてＩＤ、パスワードや暗証番号などを作っていけばいいのかは第２部で説明しますが、ここで示したものが「自分のパスコード」作りの基本的な材料です。

このように簡単でありながら自在に作れる「自分のパスコード」の利点は、「簡単」というだけではありません。

「作成」を念頭に置いたとき、このことは「他人にバレない」もあわせて長くあなたを利することになります。そして後で説明する「こまめな変更」にも深く関係してきます。

「自分のパスコード」作りは子どもの遊びにもヒントが

前もって決めていた文字を、これもあらかじめ決めておいた規則に従って、元の文章に挟んでいく「挟み言葉」。子ども時代にした経験がある人も多いと思います。

例えば「おはよう」。１文字おきに「のさ」を入れると「おのさはのさよのさうのさ」に変わります。何をどのように挟んでいるかのルールを知る者だけが「おはよう」を復元できます。

「簡単に作れるけど他人にバレない」が大切

●●●

「簡単に作れるなら単純なものになるから、他人にバレやすくなるのではないか？」

そんな疑問を抱く人も多いかと思います。

ところが、そんなことはありません。相手が暗号解読のスペシャリストというならいざ知らず、一般人相手なら解読が困難。こんな「他人にバレない」ものは意外とシンプルな手法で作り出せます。

それが本書で提唱する「自分のパスコード」です。

先に例示した「家族の」というのは、その好例です。あなたと深い関係があるけど、直接あなたに結びつく情報ではない。そんな情報を用いて「簡単に作れるけど他人にバレない」を実現させるのです。

●●●

「家族の」を使うことは大きなメリットがあります。

それは「自分が覚えておきやすい」ということです。あなたが例えば「家族の」何かを使おうと思うのは、それが頭の中にしっかりインプットされているからでしょう。逆に自分がうろ覚えであれば、それは「自分のパスコード」に適さない、ともいえます。

そして、あなたが「自分のパスコード」に使おうとしている情報を公言していない限り、友人などの比較的近しい人にとっても「家族の」などというフィルターがかかるだけで、バレにくい情報になるのです。これが赤の他人になればなおさら、というのはいうまでもありません。

目指すは「解読する気が起きない」ノート

もちろん、フィルターとして使えるものは「家族の」だけではありません。人それぞれ使いやすい（記憶が鮮明な）フィルター候補は違うでしょう。

元となる情報に何を使うのかも、個人個人で違いがあると思います。「簡単に作れる」ためには、自分にとってなじみが深い情報をベースにするのが理に適（かな）っています。

だから「自分のパスコード」に適した情報は、人の数だけ存在している、ともいえます。

見当がつかない情報が列記されたノート。

仮にあなたがそれを拾ったとして、それを解読して悪用してやろう……などと思うでしょうか。

そうして、「解読できない」以前に「解読する気にさせない」ノートを作ることが本書の目的でもあります。

「他人にバレない」というのは、最終的にはそれを見た人に「解読する気が起きない」ようにする、ということなのです。

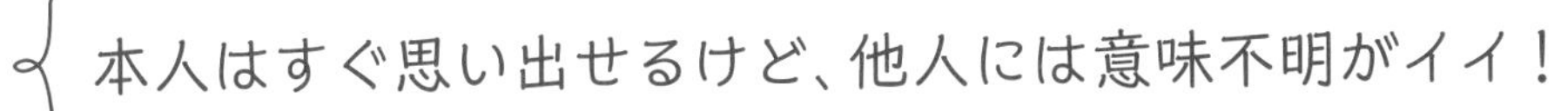

手がかりなし

意味不明な文字列

解読するのは大変

暗号みたいだなぁ

ひとまとめにしても安心
便利な「自分のパスコード」

●●●

本書は「管理」のしやすさに重点を置いた内容です。だから「自分のパスコード」を、印鑑と一緒にひとまとめにして一括管理する、という方針です。

「そんなにひとまとめにして、もし落として誰かに拾われたら、やはり危険ではないか？」

そんな疑問を持つ人もいると思います。

しかし本書は、たとえ落として他人に拾われても、「簡単にはわからない」構造になっています。

一見すると単純な書き込み式の本ですが、実は二重三重にセキュリティを設けています。

●●●

第一に、ＩＤ、パスワードや暗証番号などを悪用するのに必要な、持ち主があなただとわかる個人情報がありません。本書のどこにも、名前、住所といった個人を特定できる情報を書き込む欄を作っていません。唯一（ゆいいつ）、電話番号欄はありますが、一部記入にとどめます。

第二に「自分のパスコード」は、作った本人にしか簡単にはわからないルールで作られています。その「作った本人」に関する情報がなければ、ルールを推測することは、ほぼ不可能です。

第三に、そのルール自体を、暗号のような「自分にしかわからない」方法で記入することができることです。

ここまで隠されたものを手にして、あなたは「解読して悪用してやろう！」などと考えるでしょうか？　そんな無駄骨、折りたくはないですよね。

本書に書き込まれた「自分のパスコード」はなぜ安全？

**どこにも持ち主の
個人情報がない**

誰のデータか
わからない

**持ち主しか知らない
ルールで
作られている！**

赤の他人の
頭では
理解不能

**持ち主にしかわからない
記入方法で
書かれている！**

理解不能な
ことをさらに
理解不能な
方法で書かれ
ている

安心・安全

こまめな変更も大事な管理術

●●●

銀行のＡＴＭなどを利用していると、画面に暗証番号の変更を勧める文言を毎度のように見かけると思います。

ご存知のように同じ暗証番号を長く使い続けていると、キャッシュカードを悪用されるリスクが高まるからです。

暗証番号はもちろん、ＩＤやパスワードなどを変更するということは、「鍵」そのものを交換して玄関のセキュリティを上げるようなもの。

仮に悪意の第三者にパスワードや暗証番号などが漏れたとしても、それらを変更してあれば、本丸である「資産」を悪用できません。そのため暗証番号やＩＤ、パスワードは、定期的にとまではいかなくても、適切なタイミングで変更を続けていくことが、「資産」の安全性を高める初歩です。

●●●

ここでいう「適切なタイミング」。意外と難しいですよね。

できれば取引１回ごとに変更するのが理想なのかもしれませんが、これは労力が大変というだけではなく、自分で覚えていられる、「使える」パスワードや暗証番号などが、早い段階で枯渇してしまい、現実的ではありません。

「いつ、どのタイミングで」と的を絞って教えられればいいのですが、これだけは個人の判断に任せるしかありません。

あくまでも参考例としてですが、私のケースを教えます。私は、資産残高が多い金融機関やサービスなどを優先してパスワードや暗証番号などを定期的に変更してきましたし、その際に以前に使ったことがあるパスワードや暗証番号などを再利用することもしていません。

「鍵」の変更で安全性を確保しましょう!!

ID、パスワード、暗証番号の変更 ▶ 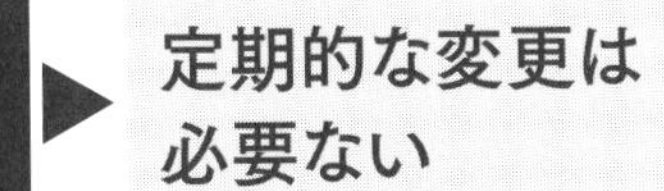

定期的な変更は必要ない

どんなとき変更するのがいいの？ ▶

・詐欺メールが多くなった

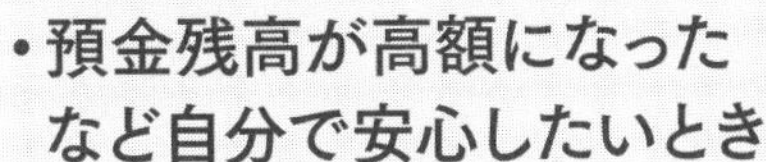

・預金残高が高額になった
　など自分で安心したいとき

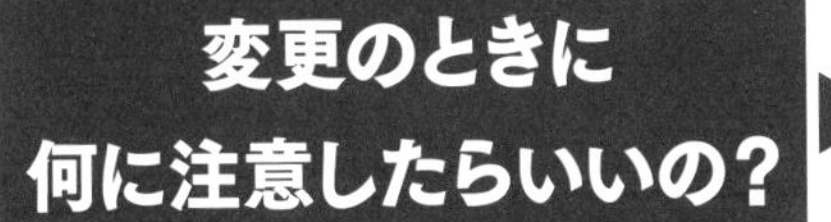

変更のときに何に注意したらいいの？ ▶

・他と同じものを使わない
・特定されやすいものを避ける
・机やPCに書いたメモ等を
　貼り付けない　etc.

次ページへ！

タッチアンドゴーの瞬間 ICカード乗車券に何が？

交通機関の利用だけではなく買い物などにも使える汎用性から、今や生活に欠かせないツールのひとつとなったＩＣカード乗車券。

本体には薄いコイルが内蔵されていて、改札などの読み取り部にタッチすると受信できる電波を通じて電力が供給される仕組みになっています。

受信側は乱数による暗号をやり取りして識別。カード情報を確認してその情報を利用するのです。

変更しても無理なく対応できるものを作る

●●●

なるべく多くＩＤ、パスワードや暗証番号などを変更するとなると、「あれ？　これ、どんな数字、文字にしたっけ？」と忘れてしまうという、別のリスクが上がってしまいます。

あるいは「このパスワードって、このサービスだったっけ？　違うサービスのだっけ？」などと混乱してしまう可能性も高くなります。さらには変更したことそのものを忘れてしまう危険もあります。

すると前に設定していたものや違うものを入力し続け、サービスの利用停止を招いてしまうことになりかねません。

だから変更の頻度こそどうあれ、変更後の自分が無理なく対応できるよう、新しいＩＤ、パスワードや暗証番号などを考えなければなりません。

●●●

変更しても対応できるといって、安易に「前に使っていたものに戻す」人がいます。これは残念ながら意味がありません。

そのＩＤ、パスワードや暗証番号などが、すでに悪意の第三者に知れていたら、その第三者が持っている鍵に合わせて錠前を替えるようなものだからです。

その第三者からすれば、まさに「上げ膳据え膳」。

新たな「鍵」を見つける手間が省け、易々（やすやす）とあなたの資産が手に入る、というものです。

だから、こまめな変更によって「資産」の安全性を向上させるためには、「使い回さない」ことが何よりも大切です。それでは一体どうするのか？

「自分だけわかる」「使い回さない」簡単な方法

変更しても無理なく対応できるためには、「簡単に作れる」ことが重要です。この「簡単に作れる」というのは、「作り方が自分にはわかりやすい」ということです。

つまり、ＩＤ、パスワードや暗証番号などが「自分なりのルールで作られている」状態です。

そして重要なのは「前に使っていたものと重複しない」ということ。使い回しは先に説明したように厳禁です。

そこで効果を発揮するのが、私が本書で提唱する「自分のパスコード」の活用です。

これは「簡単に作れるけど他人にバレない」という大前提をクリアしているのはもちろんのこと、「作り方が自分にはわかりやすい」という目的もクリアしています。

加えて「使い回しを避けられる」というメリットまでもあわせ持つテクニックなのです。

自分の鍵の交換時に、以前使っていた鍵に戻しますか？

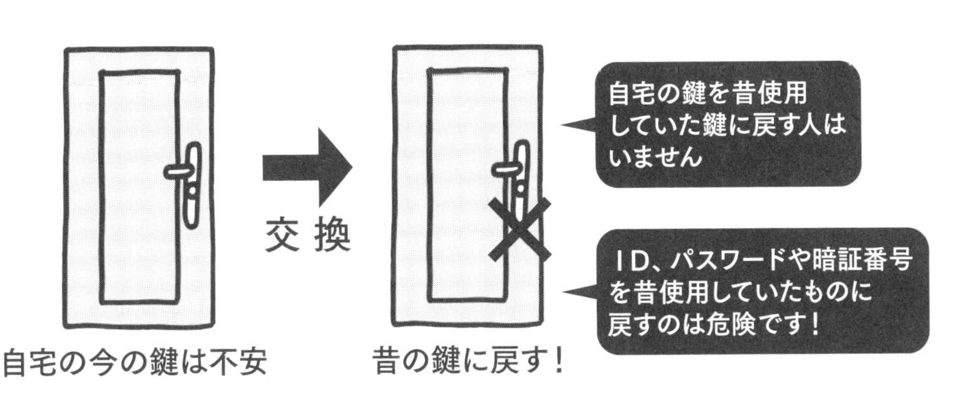

変更したらノートも
すぐに修正するクセをつける

●●●

意外と「後回しでいいや」という気持ちになりがちなのは、「変更したことを記録しておかない」です。

何日かぐらいなら、いくら何でも覚えていられるだろう……そんな気の緩みから情報の更新をせず、そのまま更新した内容を「何だったっけ？」と忘れてしまったり、あるいは情報を更新したことすら忘れるということを、経験したことがある人も多いかと思います。

これでは「管理」の万全性に穴が開くことになります。自分が把握できていない……これでは「管理」になっていません。

「他人にバレない」と同時に「自分だけがわかる」状態にしてはじめて「管理」しているといえます。

●●●

「管理」と「運用」とがセットになって、はじめて安全性が担保されます。ちょうど２つの歯車のようにガッチリと組み合わさっていないと効果が発揮できません。

そこで「自分のパスコード」を変更したら「後回し」にせず、すぐに本書のノートも修正するクセを身につける必要があります。

しかし、このことは意外と簡単に解決できます。

それは「変更するときは本書のノートを開いておく」ことです。

この方法なら、その場で変更した内容を書き留められるのですから書き忘れしようがありません。

できるだけ冷静に作業できる環境で修正しよう

「自分のパスコード」を変更する場所ですが、これはできれば自宅がいいと思います。これから作る「自分のパスコード」を、別に用意した紙を使って走り書きなどで確認しながら作る場合もあると思うからです。

また、作るための「自分にしかわからない」ルールを、意識せずに口走ってしまう可能性もないとはいえないでしょうから、できるだけ自宅で、それも周囲に家族がいないときに、落ち着いて作業することをお勧めします。

その場その場で作成してメモ帳やスマホ、身近なノートに記入して、あとで整理すればいいと思って複数のものに保存しておく人もいますが、それは管理上とても不安定なことです。

バラバラに保存するのではなく、本書のようにひとまとめに大切な数字、文字を記録しておくことがとても大事です。

ひとまとめに管理しておけば、自分のパスコードを変更し、書き換えるときも大変便利です。

安全で便利な方法でご自身の資産を守ってください。

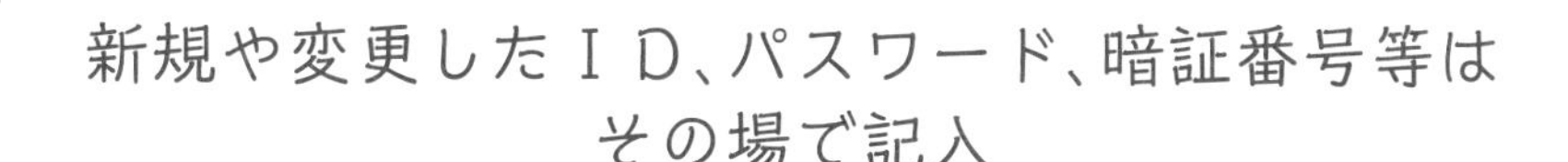

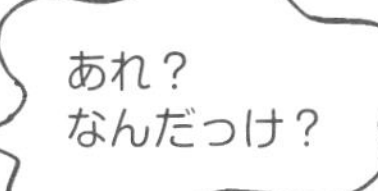

ID、パスワードや暗証番号はすぐ決まったノートに記入していくのが安心、安全

作成や管理を疎かにすると こんな目に遭うかも！

●●●

ＩＤ、暗証番号やパスワードを忘れてしまって、何度か入力を間違えてサービスにロックがかけられてしまう。そんな経験を持つ人はいませんか？

金融機関などでは多くの場合、暗証番号の入力を決められた回数連続で間違えると、その口座などがロックされます。ロックされると、一定時間サービスの利用が一切できなくなります。

最悪の場合は暗証番号などの変更をしないとサービスの利用を続けられない、という事態に陥ることもあります。金融機関や証券会社などでは一般的に、暗証番号などの変更手続きに本人確認の意味を含めて郵便物を用います。そのため処理が終わる＝サービス利用再開まで数日はかかります。

このように管理を疎かにすると、急ぎの取引があるなどの必要があっても突然、利用できなくなる恐れがあるのです。

●●●

そんな初歩的なのに致命的なミスを防ぐ意味もある「自分のパスコード」作りですが、作成や運用、管理のいずれかの場面で取り扱いを雑にしてしまうと、「自分で自分に迷惑をかける」だけではすまない大問題に発展してしまうこともあります。

例えば、よく使うサービスのＩＤ、パスワードや暗証番号などを、いちいちノートを取り出すのが面倒だといって、スマホのメモ機能などに記録したとします。画面ロックをしていなければ、ちょっとした隙に盗み見されてしまうかもしれないし、ロックしていても画面を確認中に横や後ろからのぞき見される可能性もあります。

手抜きのパスワードは１秒未満で解読される

作成についても同様です。

ちょっと面倒だからといって「また次に変えればいいや」と考えて手抜きをして、安直なパスワードや暗証番号などを作ったとします。

これが仮に６ケタで「１２３４５６」にしたとしましょう。ある企業の調査によると、これは全国で約２５０万人が使っているそうです。そして犯罪者が解読に要する時間は何と１秒にもなりません。瞬時です。

というのも17ページで紹介した「総当たり攻撃」のはじめのほうのターゲットは、こうした「よく使われている」ものだからです。ほかにも１秒に満たず解読されるものとして、「ｐａｓｓｗｏｒｄ」「１２３１２３」「１２３４５６７８９０」などがあります。

また同じパスワードや暗証番号などをさまざまなサービスに使い回すと、ひとつ漏洩しただけですべてのサービスに悪影響が出ます。

せっかく「自分のパスコード」作りに乗り出すのであれば、運用面も管理面も怠ることなく、その安全性と効果を活用しきってほしいと思います。

４ケタの暗証番号はデジタル未発達時代の遺物？

銀行などの暗証番号は４ケタが定番。なぜかというと数字のみならテンキーを設置するだけでよく、ＡＴＭなど必要な機器のコストと大きさが大きく抑えられるからです。

４ケタの暗証番号は１９６７年のイギリスで誕生。本人が覚えやすい一方で１万通りの組み合わせがあるので、デジタル技術が未発達だった当時としては解読されにくいとして世界に普及しました。

暗証番号桁数	暗証番号組み合わせ
1ケタ	10通り
2ケタ	100通り
3ケタ	1000通り
4ケタ	10000通り

印鑑も一緒に管理してしまおう！

●●●

本書では、「自分のパスコード」と一緒に、サービスなどに登録している印鑑（印影）も併せて管理できます。

どこかの窓口に行って、「あ、あれを忘れた！」などということがないように、個人情報以外で手続きなどに必要なＩＤ、パスワードや暗証番号などとともに、印鑑もセットで管理されているほうが、はるかに便利だからです。

私がなぜ、このようなものを世に出そうと思ったのか。

暗証番号やパスワード類と印鑑をセットにして安全に管理する、という便利グッズが、自分が知る限り世の中にはないことを知ったからです。

私がしている誰にでもできるような簡単な管理術が、世の中では一般的ではなさそうだと気づいたからです。

●●●

「印鑑なんて、この本と一緒に持ち歩いて大丈夫？」という安全性への疑問を持つ人もいると思いますが、そこは心配ありません。

証券会社などでも用いている印影の照合方法を参考に、どの印鑑を使っているか「自分にはわかるけど他人にわからない」仕組みで管理するからです。

印鑑の管理方法はいたって簡単です。

本書後半の「自分のパスコード」を記入するページには、「押印欄」もあります。この場所の半分に不要な紙などを置き、ちょうど割り印のように、印影が半分になるよう押印するだけ。これだけで印鑑の悪用を防止できます。

印鑑を保管しているケースの色や大きさ、形状などの特徴も併記しておくと、より便利に管理できます。

印鑑データをアナログに安心管理する

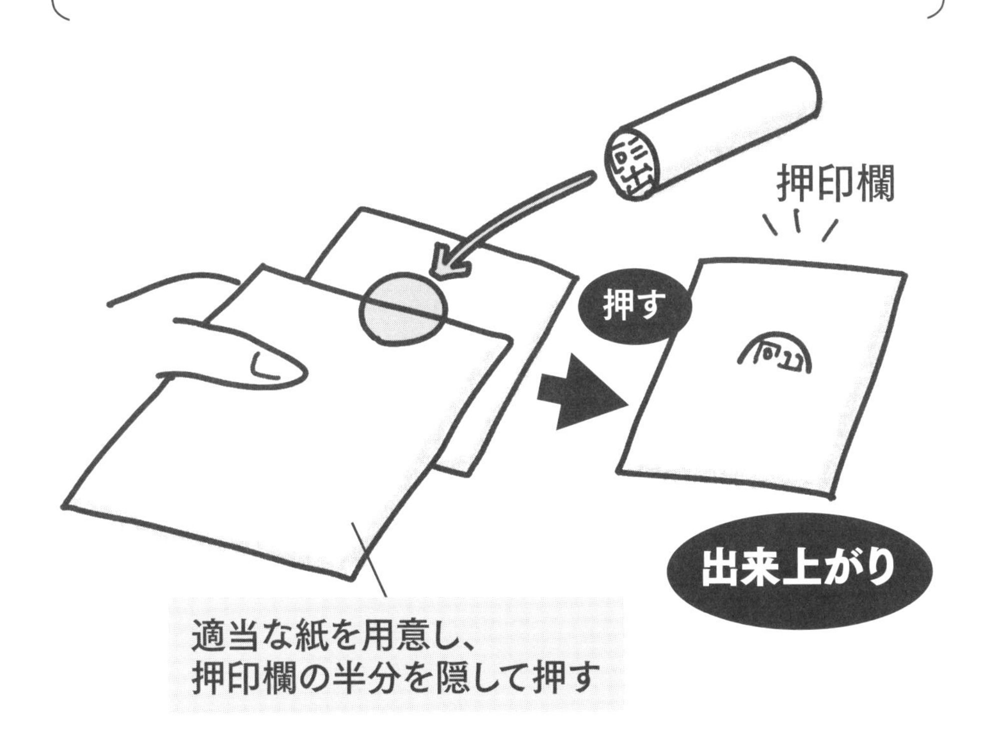

古代中国の名軍師が使った王と自分だけわかる通信具

「釣り人」の代名詞にもなっている古代中国の名軍師・太公望（たいこうぼう）。彼は仕える王と自分にだけ意味が通じる「陰符」という道具を考案しました。

これは一方が敵地にあるときの緊急通信ツールで、お互い同じ印がつけられた棒を持ち、その長さに応じた意味を事前に決めておきます。一方がある意味を示す長さの陰符を何らかの手段で相手に渡せば現況を報告できる、というものでした。

この本を使いこなすことは「終活」にもなる

●●●

「資産」がひとまとめにされて「管理」されている。

このことによるメリットは「終活」にも活かされます。「終活」は自分が健康で判断力も鈍っていないときにしておくべきことですが、本書を活用すれば、それだけで「終活」の一部が完了していることになります。

●●●

あなたが本書に書き込む情報は、おおよそ次のようなものでしょう。

取引している金融機関や証券会社、それにクレジットカード会社。

インターネットを介したサービスではライン、ツイッターやフェイスブックなどのＳＮＳ。アマゾンや楽天などの通販ショッピングサイト。

よく利用する百貨店やスーパーのショッピングサイトなど。

ほかにもＡｐｐｌｅ ＩＤやＭｉｃｒｏｓｏｆｔアカウントなどブラウザ系の会員情報もあります。

インターネットを介さず使えるサービスとしては、スーパーや量販店、コンビニといった小売系のポイントカード。

スマホキャリアが運営するＴポイント、ｄポイント、ＷＡＬＬＥＴポイントといったサービス。

スマホでよく使うＰａｙＰａｙなどの非接触型決済サービス。

個人差はあるとしても、まだまだあるでしょう。

そして、おそらく大半の人は、自分が利用中のサービスすべてについて、即座に列記できないと思います。登録している事実をなかなか思い出せないサービスもあるでしょう。

この本を活用すればあなたの「財産目録」にも！

本書があれば、その懸念はほぼ払拭できます。

何かのサービスを新たに使い始めたら、このノートに記入する。使っているサービスがあったことを思い出したら、すぐに書き込む。もし「自分のパスコード」を変更したら、時間を置かずにノートに反映させる。

こうして完成させたノートは、あなたの「財産目録」にもなるのです。

それというのもノート部分には、それだけが他人に知られても悪用されない、利用しているサービス名が列記されているからです。秘匿されているのは肝心の「自分のパスコード」だけなのですから。一緒に印影もあるから金融機関や証券会社なども解約手続きなどに対処しやすくなります。

仮にあなたが「死後事務委任契約」を利用して、自分の死後に必要となる手続きを、公証人や弁護士などに依頼するとします。そのとき、このノートが１冊あるだけで、事務処理にかかる負担が大きく減らせます。

こうした副次的な効果もあるからこそ、私は「この本を使いこなすことは終活にもなる」と思っています。

この本があれば「財産目録」を作らなくてもOK！

「自分のパスコード」なら自分に何かあっても……

●●●

何の前触れもなく本当に重大なことが身の上に起きた……。例えば自分が急死したなどといった場合に、残された家族が困らないようにする配慮も「自分のパスコード」作りには大切です。

生前は「家族にすらバレない」けど、自分の死後に家族を困らせないために「解読できる」手がかりを残しておく。遺族は悲しみが癒えないうちから矢継ぎ早に、さまざまな事務処理をこなしていく必要があります。だから、そんな遺族への「思いやり」は、やはり必要です。

「自分が生きているうちは家族に見られない。だけど死後には見てもらう」

考えられる方法はいくつかありますが、ここでは比較的簡単な方法を２つ紹介します。

●●●

①解読メモを隠しておく

「自分ルール」についてまとめたメモ書きを用意します。これを封筒などにしまって隠しておきます。

自分に何の問題もないときには家族が目を向けない場所、だけど遺品整理などのとき、家族の目に触れるような場所にしまっておきます。

②解読方法を遺書と一緒にする

「自分ルール」について内容を遺書の中に書き込んでおくか、解読メモを遺書と同封するなどして保管します。遺書は基本的に生前の家族が目にするものではありません。だから自分が死んだ後になって、はじめて家族が見られる状態にできます。

ID&Password

第2部

自分にはすぐわかる、他人にはわからない方法

Making method

素材と素材を組み合わせて「基本形」作り

赤の他人にはわからない数字や文字である「自分のパスコード」は2つの素材を組み合わせた「基本形」を元に作ります。「基本形」のままでもパスワードや暗証番号などに使えますが、さらに「自分のルール」で細工し、より安全性が高められた「自分のパスコード」に仕立てます。例えば「家族の」という「ベース素材」と､「誕生日」という「組み合わせ素材」から作る「家族の誕生日」は､「基本形」の代表例です。
「自分のパスコード」は、一般的な暗証番号などと同じく､「使い回しをしない」ことを推奨していますが、昔と違って今は､「自分のパスコード」が必要とされる場面が格段に増えていますよね。そこで本書では、いくつかの「基本形」を用意できれば使い回さずにすむような方法も提案しています。

もちろん、より多くの「基本形」を生み出したいなら、自分にとって使い勝手がいい素材候補を最初のうちに、できるだけ多く用意すればＯＫです。すでに第１部で見た「家族の誰か」や「誕生日」「命日」「記念日」以外のものも思い浮かべてみましょう。
「家族の誰か」のような「ベース素材」は比較的簡単に見つかります。一方で「誕生日」のような「組み合わせ素材」は、意外と見つけられないと思います。仮に使えそうな「組み合わせ素材」が少ないなら、その分だけ「ベース素材」を多めに見つけるようにしてみてください。
それら「素材」の数が多ければ多いほど、必然的に組み合わせの数＝「基本形」も増やせます。

ベース素材と組み合わせ素材の
2つを使って基本形を作ろう

自分の家族

夫　妻　息子　娘

パートナー

※自分自身は外します。

実家などの家族

父　母　祖父　祖母

兄弟　姉妹　孫

記念日他

誕生日の月日　誕生日の西暦　結婚記念日

命日　出会いの日

メモなど見なくてもすぐ思い出せるものが基本形

基本形例	ベース素材		組み合わせ素材	
	息子	＋	誕生日の月日	＝1203（12月3日）

自分しか知らない情報も使ってみよう

自分にだけわかる、ちょっとひねりを利かせた情報を「素材」に盛り込むのも、安全性を高めるのに有効です。

数字なら、両親の誕生日や何らかの自分や家族にまつわる記念日など。それ以外にもアルファベットに対応した「秘密の情報」もあります。

「自分の出生地や実家」、自分かパートナーや両親の旧姓、などです。

例えば出生地なら、「ＳＡＰＰＯＲＯ」「ＮＡＧＯＹＡ」「ＳＥＴＡＧＡＹＡ」などの区市名や、記憶に残っているなら「ＴＯＹＯＳＵ」「ＪＩＹＵＧＡＯＫＡ」などの町村名でもかまいません。

実家の地名や旧姓も同じで、自分がすぐに思い出せるものなら、何でも「素材」候補として使えます。

「素材」候補は、まだまだあります。ここで挙げるいくつかの例を参考にしながら、自分が使いやすい「素材」を探してみてください。

・ペットの名前

・ペットの誕生日や命日

・一番の趣味……例：ＧＯＬＦ（ゴルフ）、ＹＯＧＡ（ヨガ）、ＲＹＯＫＯ（旅行）、ＴＡＢＥＡＲＵＫＩ（食べ歩き）など

・好きな有名人の名前

・尊敬する人物の名前

・自分の出身学校名（小学校、中学校、高校、大学、各種専門学校など）

必要な文字数と忘れにくさを基準に、「素材」候補を吟味しましょう。

安全性を高める自分だけの秘密を使う

自分の出生地の地名

例 SAPPORO
Nagoya

自分やパートナーの実家の地名

例 ASAHI
tokachi

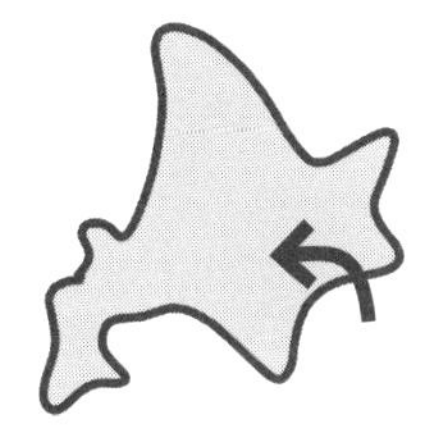

親や、自分またはパートナーの旧姓

例 HAYASHI
abe

ペットの名前

例 IWASHI
maru
Pochi

趣味

例 GOLF
dance
Fishing

好きな有名人

例 KIMUTAKU
ayaka
Hikakin

あなたの頭の中にある秘密の鍵を探してみましょう!!

「自分のパスコード」の「基本形」

「自分のパスコード」を使うときは、前もって作っておいたいくつかの「基本形」を把握しておくと便利です。

重宝するのは、多くの場面で使われる４ケタの暗証番号を想定した数字による「基本形」。もちろん選ぶ「素材」によってケタ数は増やせます。

もうひとつの基本形は、アルファベットを使ったものです。こちらもわかりやすく「家族の誰かの名前」を用いて示します。

例えば「妻の名前」が「花子（はなこ）」とします。

名前をローマ字表記すれば「ＨＡＮＡＫＯ」の６文字＝６ケタです。仮に４ケタで使いたいなら「ＨＡＮＡ」にするなど自分なりに短縮すれば対応できます。

これらの「基本形」を「自分ルール」によって安全性を高めて、実際に用いる「自分のパスコード」に仕上げます。

さらに、それらを組み合わせて８ケタや12ケタ、20ケタといった長い「自分のパスコード」を作り出していきます。

いずれにしても、完成形といえる「自分のパスコード」は基本を応用したものにすぎません。だからいくつかの「基本形」さえ事前にしっかり作れていれば、ＩＤ、パスワードや暗証番号などが必要になったとき、素早く新たな「自分のパスコード」が生み出せます。

そこでシンプルな「素材」を使った「自分のパスコード」は何が作れるか、ザッと洗い出してみましょう。

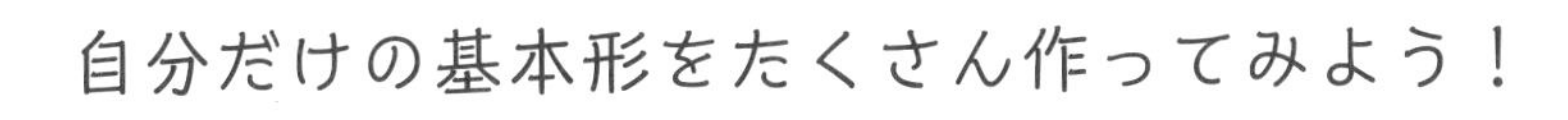

ベース素材

- 夫、妻、パートナー
- 子ども、孫
- 父、母、祖父、祖母
- 兄弟姉妹
- ペット
- 趣味
- 好きな有名人

＋

組み合わせ素材

- 誕生日
- 名前、旧姓
- 記念日
- 地名（実家、出生地）

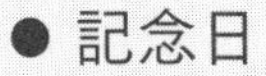

自分だけの基本形の完成

例

子ども ＋ 誕生日 ＝1120

母 ＋ 旧姓 ＝fujiwara

夫 ＋ 出生地 ＝KISHIWADA

「自分のパスコード」を「自分ルール」で加工する

みなさんはすでに「自分のパスコード」を作る入り口ともいえる「基本形」が作り出せたと思います。

この「基本形」を「自分ルール」で工夫すると、さらに安全でしかも忘れてしまいにくい「自分のパスコード」が誕生します。

みなさんに使ってもらう「自分ルール」の役目は主に「自分のパスコード」の安全性を高めることです。

この「自分ルール」も、「簡単に作れるけど他人にはわからない」ものでなければ意味がありません。

だから乱数表を使うなどの、いちいち何かの資料を手にして確認し直す必要がある手段を、「自分ルール」には採用しません。

「でも乱数表などの解読されにくい道具を使わなければ、やはり安全性が不安だな」

そんな人もいるでしょう。

しかし思い出してください。

第１部で見たように「自分のパスコード」は、「基本形」の時点ですでに、「簡単に作れるけど他人にはわからない」ものに仕上がっています。

つまり安全性が確保されています。

私たちが用いる「自分ルール」は、念のための最終工作のようなもの。だから扱いが難しい道具や覚えていられないようなプロセスを、必要としないのです。

より安全な「自分のパスコード」を作る

これをさらに安全にする方法

自分のルールをさらに加える

＋①スライド

＋②配列順番変え

＋③大文字小文字

＋④つなげて長くする

これでより安全な「自分のパスコード」が完成

使う文字や数字の配列をスライドしてみよう

最初に紹介する「自分ルール」は、使う文字や数字の配列をずらす「スライド」です。

例えば数字であれば、「1・2・3〜8・9・0」の並びを「2・3・4〜9・0・1」か「0・1・2〜7・8・9」のように、元の数字に1を足したり引いたりして、左右（次や前）へいずれかに1つだけずらしたものをパスワードなどに用います。

ひらがなをローマ字にして使う場合、五十音表の行（あ行＝あいうえお、か行＝かきくけこ、など）の中で、次か前に1つずらします。

このときにルールとして決めておくべきことは「どちら向きに」ずらす（スライドさせる）か、ということだけです。

数字4ケタの暗証番号に使う「基本形」に「1つ足す」という「自分ルールのスライド」を用いるとします。

すると「基本形」では「1205」だったものが「2316」に変化します。これはケタ数がいくつでも同じです。また、ローマ字表記の文字をスライドする場合、同じ行の中でずらします。

例えば「HANAKO（はなこ）」なら、次にずらせば「は→ひ」「な→に」「こ→か」なので「HINIKA（ひにか）」。同様に前にずらせば「HONOKE（ほのけ）」に変わります。前にずらすのか、次にずらすのかのスライドする方向は、あなた自身で決めてください。

実は、この方法は古代ローマの英雄シーザーが、私的文書作成の際に用いていたもので、「シーザー暗号」などの名前で今日に知られています。

こっそり「自分ルール①」は「スライド」!!

●元の数字に1を足すスライド

スライド

1 2 3 4 5 6

なるほど!!
「自分ルール」を「スライド」に決めたら
使おうと思った「2345」は
「3456」という「自分のパスコード」になるのか!

●同じ行の中で次の文字へのスライド

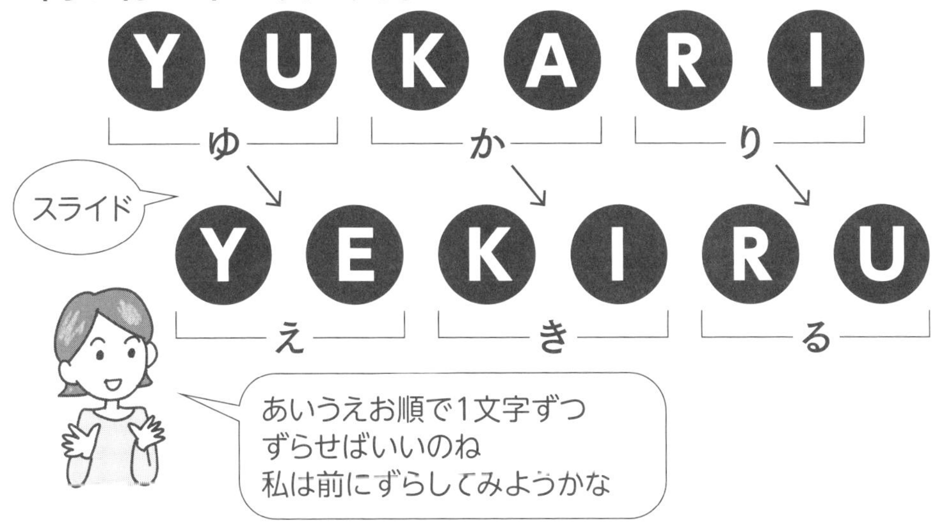

- 「同じ行」の中でずらします。「お」の次は「あ」、「と」の次は「た」になります。
- アルファベット順も可能です。「abcd」の次は「bcde」になります。

「自分ルール」はどこにもメモしておかなければ、スライドした数字やアルファベットを記録しておいても安全はキープ!!

できた配列の順番を変えてみよう

前ページでは「基本形」に使われている数字やアルファベットを一定の規則に従って変化させました。次に紹介する「自分ルール」は、できた「基本形」の端の文字を左右いずれかに１つだけ移動させるテクニックです。

例えば「１２０５」という「基本形」を「左端の１文字を右端へ順番変え」という「自分ルール」で工夫すれば､「２０５１」に変化します。同様に「右端の１文字を左端へ移動」であれば「５１２０」に変化します。

これもケタ数や数字かアルファベットかに関係なく共通で使えます。「Ｈａｎａｋｏ」を「右端の１文字を左端へ順番変え」なら、「ｏＨａｎａｋ」になります。「Ｓ６２１１２３」を「左端１文字を右端へ順番変え」なら「６２１１２３Ｓ」に変化させることができます。

このルールは、「順番をさかさまにする」という設定でも使い勝手がいいと思います。多くの人は、少し時間をかけて慎重に頭の中で思い浮かべていけば、問題なく元の暗証番号やパスワードにたどり着けると思います。

例えば「Ｈａｎａｋｏ」なら「ｏｋａｎａＨ」に、「Ｓ６２１１２３」なら「３２１１２６Ｓ」に変化します。

ただし、「順番をさかさまにする」というルールは、ケタ数が多いものなど用いるのに不向きな「基本形」もあります。

「自分のパスコード」は安全性と利便性の両立に意味があります。事前に「順番をさかさまにする」を試してみて時間がかかるなら、それは利便性の低下を意味しますから、その「基本形」を使うのはやめましょう。

「自分ルール②」は配列の順番を変える

●左端の1文字を右端へ移動

●右端の1文字左端へ移動

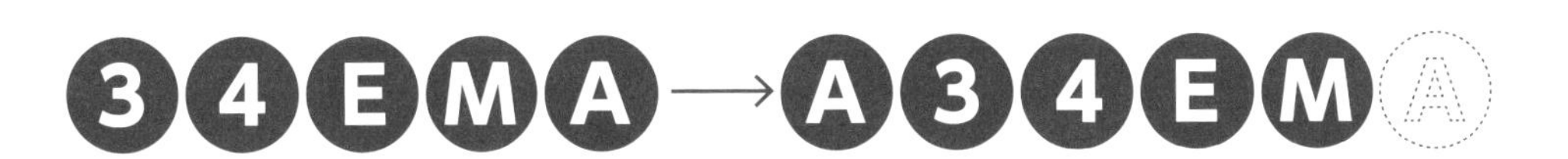

●順番をさかさま

1234 → 4321

kawade56 → 65edawak

英文字の大文字小文字をうまく使いこなそう

ここで紹介する「自分ルール」は、任意で決めた法則で「基本形」を作り替える作業です。１つだけ比較的シンプルな例を挙げますが、これにこだわらず、覚えやすくて使いやすいオリジナルの「自分ルール」を見つけて活用してください。

アルファベットの大文字・小文字を駆使する方法があります。どの文字を大文字にするかを任意で変える「自分ルール」です。

普通は頭文字のみ大文字にすることが多いと思いますが、大文字の使用を１文字に限定せず、どのアルファベットを大文字にするかを自分で決めます。

例えば「ＨＡＮＡＫＯ（はなこ）」なら、一般的な頭文字のみ大文字にすると「Ｈａｎａｋｏ」ですが、ひらがなで見たときの頭文字を大文字にするというルールにすれば「ＨＡｎａｋｏ」になります。ひらがなで見たときの２文字目、というルールにすれば「ｈａＮＡｋｏ」になる、というようにバリエーションが増やせます。

このほか、子音だけを大文字にすれば「ＨａＮａＫｏ」に、母音だけを大文字にすれば「ｈＡｎＡｋＯ」に変えられます。

ある文字に限定せず大文字にすることも可能です。例えば、ひらがなで見たときの最初から２文字分、というルールを作れば「ＨＡＮＡｋｏ」になりますし、最後から２文字分にすれば「ｈａＮＡＫＯ」というパターンも作れます。

もちろん、小文字のみの「ｈａｎａｋｏ」もＯＫです。

「自分ルール③」は大文字小文字で作る!!

● 頭の文字だけ大文字

kenta → KEnta

● 中央の文字や最後の文字だけ大文字

sachiko → saCHIko

takuya → takuYA

● 子音だけ大文字

shohei → SHoHei

SNSのIDやパスワードは
全部最後の文字は
大文字にする
自分ルールに決めたわ！

「自分のパスコード」をつなげて長くする

ここまでで、さまざまな「基本形」や「自分のパスコード」が作り出せていると思います。次は長い「自分のパスコード」も作ってみましょう。

もっともシンプルな方法は「基本形」をつなぎ合わせるだけ。単純作業で使い勝手がいいけど「わからない」ものが簡単に作れてしまいます。

８ケタなら「基本形」２つをつなげます。１２ケタなら４ケタの「基本形」を３つつなげます。「基本形」がＡとＢの２つしかないなら「ＡＢＡ」「ＡＡＢ」などとつなげます。６ケタが２個あるなら、それをつなげば完成です。

ただし「ＡＡ」や「ＡＡＡ」など同じ「基本形」をつなげるだけ、というのは安全性の面でお勧めできません。

同様の理屈で長いケタ数でも、必要に応じて簡単に作り出せます。

長い「自分のパスコード」を作りたいときは、「自分ルール」の使いどころも大切です。

とはいっても理屈は簡単です。

「基本形」をつなげてから一括して「自分ルール」で処理するのか、「自分ルール」で形を変えた「基本形」をつなげるのか、の違いです。

前者のほうが構造はシンプルで手順も少なくなるので利便性は上ですが、違う「自分ルール」が施された「基本形」同士をつなぎ合わせれば、自分には理解できるけど周囲にはますます難解……そんな「自分のパスコード」が生み出しやすくなります。

自分が覚えていられる範囲でトライしてみてください。

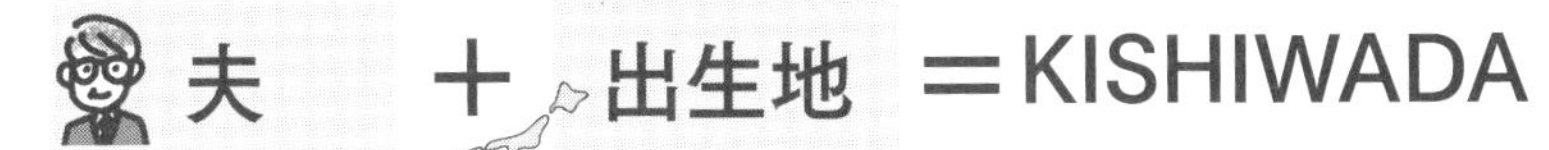

● 2つ、3つつなげてみよう

1120fujiwara

KISHIWADA1120fujiwara

● 同じものをつなげてみよう

1120KISHIWADA1120

● 同じものだけをつなげるのは NG

× 112011201120

× fujiwarafujiwara

自分だけのパスコードをノートにメモしておく

自分だけの基本形を作ってそのままノートにメモしておくと、他人がそのメモを見たらすぐわかってしまいます。

デジタル記録と違ってアナログな記録は、その書いたノートを手にしないとわかりませんが、持ち出して紛失したら怖いのは当然です。そのため、この本ではせっかく作った自分だけのパスコードを簡略してノートに記入する方法をお勧めしています。

このノートを紛失して赤の他人が拾っても、わからない記入方法です。

例えば「娘」「生」と書いてあった場合、赤の他人がそれを見て「○○さんの娘さんの誕生日」とはわかりません。「結」と書いてあるノートを見て「○○夫婦の結婚記念日だから○月○日なので○○○○」とはわかりません。

ＳＮＳでご自身、家族の生年月日や結婚記念日などの個人的な日を公開しているのなら解明される可能性はゼロではありませんが、ご自身の情報を丸裸にしている方は、スポーツ選手や芸能人、公人以外ではほとんどいないと思います。

簡略文字は、右のページに例を挙げましたが、あなたオリジナルの文字を作っていけば、安全度は数段アップします。

ただし、ご家族、親戚の方が見たら解明できる可能性はゼロではありません。あくまで赤の他人に見られてもわからない方法です。でも、赤の他人に見られてもわからない記録方法は私は大切だと思っています。

大切な数字、文字を他人にわからない文字に
置き換える！

● 自分だけのノート記入用簡略文字を作る①

〈例〉どの略字を使用してもOK

娘	→	娘	女	ム	F		娘、女の子、ムスメ、female
息子	→	息	男	コ	M		息子、男の子、ムスコ、men
妻	→	妻	房	ツ	W	マ	妻、女房、ツマ、wife、ママ
夫	→	夫	主	オ	H	パ	夫、主人、オット、husband、パパ

● 自分だけのノート記入用簡略文字を作る②

〈例〉どの略字を使用してもOK

結婚記念日	→	結	記	ケ	結婚、記念日、ケッコン
逆にする	→	逆	反	ギ	逆、反対、ギャク
大文字にする	→	大	A		大文字、大文字の「A」
小文字にする	→	小	a		小文字、小文字の「a」
生年月日	→	生	B		生年月日、Birthday
名前のイニシャル	→	S 幸子	T たけし		

絶対忘れない数字やアルファベットを
自分で考えた略文字で記録すれば
他人にはわかりません!!

簡略文字の組み合わせは自分ですぐわかる方法に

簡略文字をノートに記入して、あとで見返したらわからなくなった。そんなスパイの暗号のようなものは使用できません。あくまで、このノートが手元になくてもご自身の頭の中から消えづらいものがいいです。

どんなに組み合わせても、すぐわかる数字や文字への工夫であれば、思い出すのもスピーディです。

簡略文字を使って、数字やアルファベットを組み合わせた長いものを作ってみましょう。作り方は簡単です。右のページの例のように、ベース素材と組み合わせ素材から作った自分がすぐ思い出せる基本形を並べるだけです。

ＩＤ、パスワードは数字、アルファベットの組み合わせで作ることが多いですが、長くても忘れないものが作れます。

長いだけでなく 48 ページから紹介している「自分のルール」を簡略文字に入れると､赤の他人にはわからないメモが完成します。スライドさせたり、逆読みにしたりする方法を加えます。

この本は、作り方を紹介しますが、簡略文字は読者のみなさんがオリジナルで作るほうがベターです。そうすれば、この本を読んで簡略したあなたの大切なＩＤ、パスワードを見てもわかりません。たとえ持ち主が特定できたとしても、わかりません。

今では、安価なパスワード等の記入用ノートが販売されていますが、丸見えの情報管理は不安ですから、安全な記入方法を確立してみてください。

下の例を見て自分のオリジナル方法を探そう

●簡略文字を長くしてみよう

●自分のルールを組み合わせてみる

赤の他人にはわからない「自分のパスコード」作り

お父さんのマル秘ノートを解読!!

M 生 逆 ＝3040

M ＝美久（長女の名前）

生 ＝美久の生年月日4月3日→0403

逆 ＝0403の逆→3040

結 逆 実 ＝4290shimokitazawa

結 ＝結婚記念日の9月24日→0924

逆 ＝結婚記念日の逆→4290

実 ＝実家の地名の下北沢→shimokitazawa

Y 逆 N 生 ＝IRUY0130

Y 娘の名前・由理のアルファベット→YURI

逆 YURIの逆→IRUY

N 父の名前・直人

生 父（直人）の生年月日・1月30日→0130

略した漢字やアルファベットは自分流に変えれば完璧!!

家族にもわからない「自分のパスコード」の作り方

「自分のパスコード」作りは、いかがでしたか。

いくつも作っていくうちに慣れていって、自分なりに使いやすい「自分ルール」がわかったり、手早く作れるコツがつかめたりして、「自分のパスコード」を作るのが楽しくなっていくと思います。

でも、この方法とメモだと家族にわかってしまうから、もしものときに安全じゃないと思って、それ以上に管理したい方には、ノートへの記入は今までご紹介した方法のままにして、実際は「１つスライド」「逆にする」「子音だけ大文字」などの秘密の自分ルールをさらに加えてＩＤ、パスワードを作り、その加えたルールはノートに記入しないでおくといいでしょう。

●ノートへの記入例

子ども ＋ 誕生日 ＝1120

を 息 誕 とノートに記入

でも実際は 2231 が正しい数字

ノートに記入していない自分ルールは「元の数字に1を足すスライド」
（P50、51参照）

ID&Password

ID&パスワード、暗証番号、口座名など

記入ノート

Management notebook

ＩＤ、パスワード、暗証番号他
ノート記入例

＊「記入可」とは、公開している情報なので隠す必要がない情報を指します。

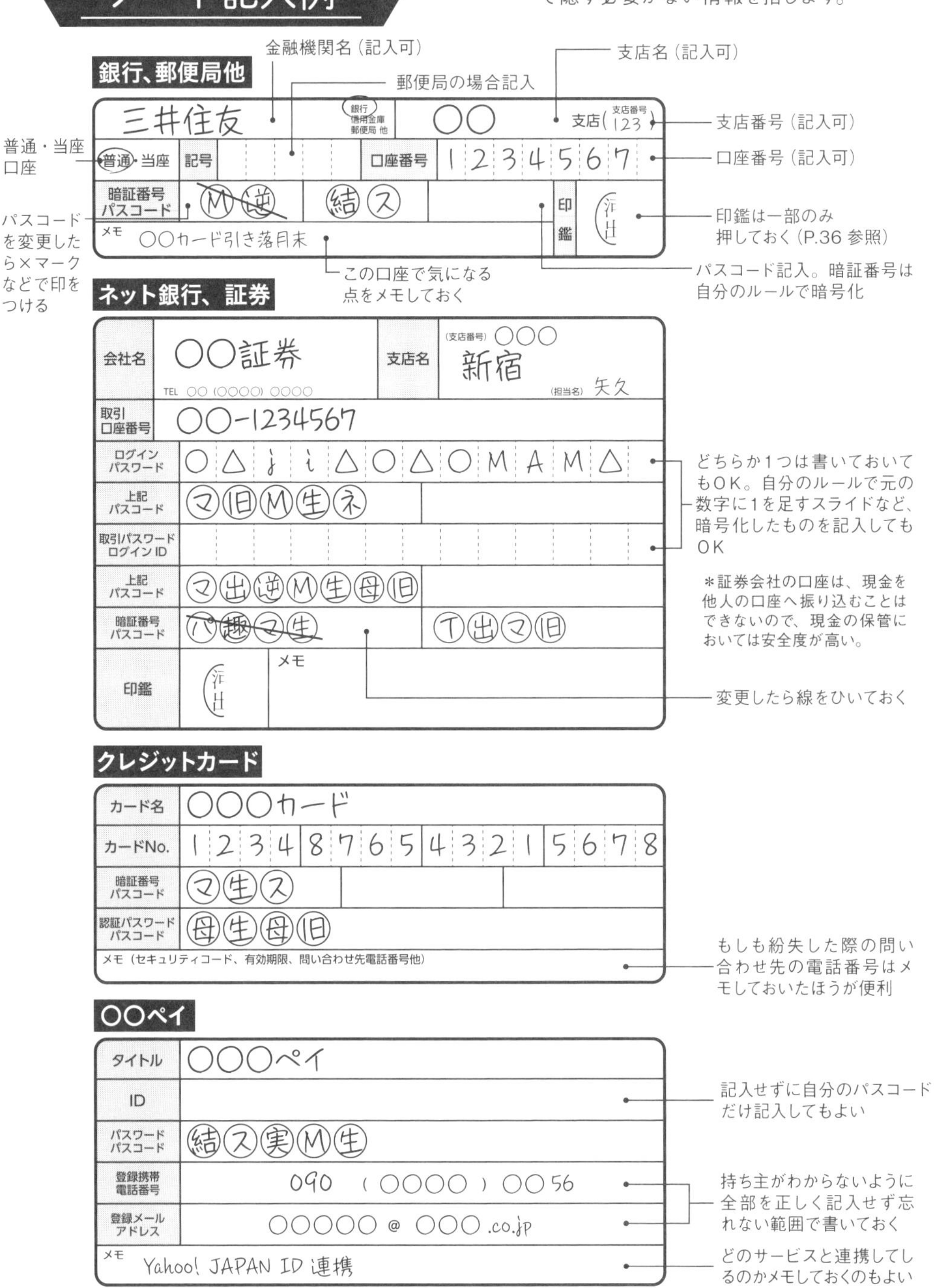

銀行、郵便局他

三井住友	銀行・信用金庫・郵便局 他	○○	支店（支店番号 123）
普通・当座	記号	口座番号	1 2 3 4 5 6 7
暗証番号 パスコード	~~Ⓜ逆~~ 結ス		印鑑
メモ	○○カード引き落月末		

金融機関名（記入可）
郵便局の場合記入
支店名（記入可）
支店番号（記入可）
口座番号（記入可）
普通・当座口座
印鑑は一部のみ押しておく（P.36参照）
パスコードを変更したら×マークなどで印をつける
この口座で気になる点をメモしておく
パスコード記入。暗証番号は自分のルールで暗号化

ネット銀行、証券

会社名	○○証券 TEL ○○（○○○○）○○○○	支店名	（支店番号）○○○ 新宿 （担当名）矢久
取引口座番号	○○-1234567		
ログインパスワード	○△ j i △○△○ M A M △		
上記パスコード	マ旧Ⓜ生ネ		
取引パスワード ログインID			
上記パスコード	マ出逆Ⓜ生母旧		
暗証番号 パスコード	~~ハ趣マ生~~		Ⓣ出マ旧
印鑑		メモ	

どちらか1つは書いておいてもOK。自分のルールで元の数字に1を足すスライドなど、暗号化したものを記入してもOK

＊証券会社の口座は、現金を他人の口座へ振り込むことはできないので、現金の保管においては安全度が高い。

変更したら線をひいておく

クレジットカード

カード名	○○○カード
カードNo.	1 2 3 4 8 7 6 5 4 3 2 1 5 6 7 8
暗証番号 パスコード	マ生ス
認証パスワード パスコード	母生母旧
メモ（セキュリティコード、有効期限、問い合わせ先電話番号他）	

もしも紛失した際の問い合わせ先の電話番号はメモしておいたほうが便利

○○ペイ

タイトル	○○○ペイ
ID	
パスワード パスコード	結ス実Ⓜ生
登録携帯電話番号	090（○○○○）○○56
登録メールアドレス	○○○○○@○○○.co.jp
メモ	Yahoo! JAPAN ID 連携

記入せずに自分のパスコードだけ記入してもよい
持ち主がわからないように全部を正しく記入せず忘れない範囲で書いておく
どのサービスと連携してしるのかメモしておくのもよい

SNS

タイトル	LINE	ニックネーム	○○○○○
ID	○△○△○SHIRO△△16		
パスワード パスコード	㊥㋤Ⓕ㊓		
登録メール アドレス	○○○○○ @ ○○○ .co.jp		
メモ	Facebook 連携		

記入せずに自分のパスコードだけ記入してもよい

どのサービスと連携してしるのかメモしておくのもよい

仮想通貨、FX

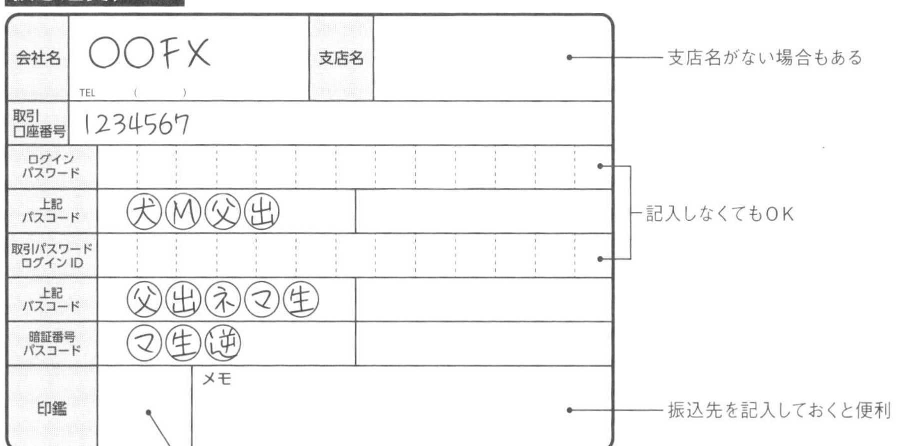

会社名	○○FX TEL ( )	支店名	
取引 口座番号	1234567		
ログイン パスワード			
上記 パスコード	犬M父出		
取引パスワード ログイン ID			
上記 パスコード	父出ネマ生		
暗証番号 パスコード	マ生逆		
印鑑		メモ	

支店名がない場合もある

記入しなくてもOK

振込先を記入しておくと便利

印鑑登録が必要ない会社もある

ネットその他

タイトル	○○ショッピング	
ID ユーザー名、ニックネーム、アカウント、ログイン		
上記パスコード	ネマ出マ生	
パスワード		
上記パスコード	マ生スマ旧	
登録メールアドレス	○○○○○ @ ○○○ .co.jp	
登録携帯電話番号	090 (○○○○) ○○56	
メモ		

データの資産価値がご自身で低いと思う場合、暗号化するのはID、パスワードのどちらかだけでもOK

様々なサイトがあるので記入スタイルは自由に行いましょう

持ち主がわからないように全部を正しく記入せず忘れない範囲で書いておく

その他

タイトル	○○○アプリ		
ID	結スマ旧		
パス	母旧母生		
メモ			

データの資産価値がご自身で低いと思う場合、暗号化するのはID、パスワードのどちらかだけでもOK

銀行、郵便局他

銀行 信用金庫 郵便局 他		支店（支店番号）		
普通・当座	記号		口座番号	
暗証番号 パスコード				印鑑
メモ				

銀行 信用金庫 郵便局 他		支店（支店番号）		
普通・当座	記号		口座番号	
暗証番号 パスコード				印鑑
メモ				

銀行 信用金庫 郵便局 他		支店（支店番号）		
普通・当座	記号		口座番号	
暗証番号 パスコード				印鑑
メモ				

銀行 信用金庫 郵便局 他		支店（支店番号）		
普通・当座	記号		口座番号	
暗証番号 パスコード				印鑑
メモ				

銀行 信用金庫 郵便局 他		支店（支店番号）		
普通・当座	記号		口座番号	
暗証番号 パスコード				印鑑
メモ				

銀行 信用金庫 郵便局 他	支店(支店番号)		
普通・当座	記号	口座番号	
暗証番号 パスコード		印鑑	
メモ			

銀行 信用金庫 郵便局 他	支店(支店番号)		
普通・当座	記号	口座番号	
暗証番号 パスコード		印鑑	
メモ			

銀行 信用金庫 郵便局 他	支店(支店番号)		
普通・当座	記号	口座番号	
暗証番号 パスコード		印鑑	
メモ			

銀行 信用金庫 郵便局 他	支店(支店番号)		
普通・当座	記号	口座番号	
暗証番号 パスコード		印鑑	
メモ			

銀行 信用金庫 郵便局 他	支店(支店番号)		
普通・当座	記号	口座番号	
暗証番号 パスコード		印鑑	
メモ			

ネット銀行、証券

会社名	TEL (　　)	支店名	(支店番号) (担当名)
取引口座番号			
ログインパスワード			
上記パスコード			
取引パスワードログイン ID			
上記パスコード			
暗証番号パスコード			
印鑑		メモ	

会社名	TEL (　　)	支店名	(支店番号) (担当名)
取引口座番号			
ログインパスワード			
上記パスコード			
取引パスワードログイン ID			
上記パスコード			
暗証番号パスコード			
印鑑		メモ	

会社名	TEL　（　　）	支店名	（支店番号） （担当名）
取引 口座番号			
ログイン パスワード			
上記 パスコード			
取引パスワード ログイン ID			
上記 パスコード			
暗証番号 パスコード			
印鑑		メモ	

会社名	TEL　（　　）	支店名	（支店番号） （担当名）
取引 口座番号			
ログイン パスワード			
上記 パスコード			
取引パスワード ログイン ID			
上記 パスコード			
暗証番号 パスコード			
印鑑		メモ	

クレジットカード

カード名	
カードNo.	
暗証番号 パスコード	
認証パスワード パスコード	

メモ（セキュリティコード、有効期限、問い合わせ先電話番号他）

カード名	
カードNo.	
暗証番号 パスコード	
認証パスワード パスコード	

メモ（セキュリティコード、有効期限、問い合わせ先電話番号他）

カード名	
カードNo.	
暗証番号 パスコード	
認証パスワード パスコード	

メモ（セキュリティコード、有効期限、問い合わせ先電話番号他）

カード名	
カードNo.	
暗証番号 パスコード	
認証パスワード パスコード	

メモ（セキュリティコード、有効期限、問い合わせ先電話番号他）

カード名	
カードNo.	
暗証番号 パスコード	
認証パスワード パスコード	

メモ（セキュリティコード、有効期限、問い合わせ先電話番号他）

カード名	
カードNo.	
暗証番号 パスコード	
認証パスワード パスコード	

メモ（セキュリティコード、有効期限、問い合わせ先電話番号他）

クレジットカード

カード名			
カードNo.			
暗証番号 パスコード			
認証パスワード パスコード			

メモ（セキュリティコード、有効期限、問い合わせ先電話番号他）

カード名			
カードNo.			
暗証番号 パスコード			
認証パスワード パスコード			

メモ（セキュリティコード、有効期限、問い合わせ先電話番号他）

カード名			
カードNo.			
暗証番号 パスコード			
認証パスワード パスコード			

メモ（セキュリティコード、有効期限、問い合わせ先電話番号他）

カード名				
カードNo.				
暗証番号 パスコード				
認証パスワード パスコード				

メモ（セキュリティコード、有効期限、問い合わせ先電話番号他）

カード名				
カードNo.				
暗証番号 パスコード				
認証パスワード パスコード				

メモ（セキュリティコード、有効期限、問い合わせ先電話番号他）

カード名				
カードNo.				
暗証番号 パスコード				
認証パスワード パスコード				

メモ（セキュリティコード、有効期限、問い合わせ先電話番号他）

銀行、郵便局他
ネット銀行、証券
クレジットカード
○○ペイ
SNS
仮想通貨、FX
ネットその他
その他

○○ペイ（非接触型決済）

タイトル	
ID	
パスワード パスコード	
登録携帯 電話番号	（　　　　　）
登録メール アドレス	@

メモ

タイトル	
ID	
パスワード パスコード	
登録携帯 電話番号	（　　　　　）
登録メール アドレス	@

メモ

タイトル	
ID	
パスワード パスコード	
登録携帯 電話番号	（　　　　　）
登録メール アドレス	@

メモ

タイトル	
ID	
パスワード パスコード	
登録携帯 電話番号	(　　　　　　　　)
登録メール アドレス	@

メモ

タイトル	
ID	
パスワード パスコード	
登録携帯 電話番号	(　　　　　　　　)
登録メール アドレス	@

メモ

タイトル	
ID	
パスワード パスコード	
登録携帯 電話番号	(　　　　　　　　)
登録メール アドレス	@

メモ

SNS

タイトル		ニックネーム	
ID			
パスワード パスコード			
登録メール アドレス	@		
メモ			

タイトル		ニックネーム	
ID			
パスワード パスコード			
登録メール アドレス	@		
メモ			

タイトル		ニックネーム	
ID			
パスワード パスコード			
登録メール アドレス	@		
メモ			

タイトル		ニックネーム	
ID			
パスワード パスコード			
登録メール アドレス	@		
メモ			

タイトル		ニックネーム	
ID			
パスワード パスコード			
登録メール アドレス	@		

メモ

タイトル		ニックネーム	
ID			
パスワード パスコード			
登録メール アドレス	@		

メモ

タイトル		ニックネーム	
ID			
パスワード パスコード			
登録メール アドレス	@		

メモ

タイトル		ニックネーム	
ID			
パスワード パスコード			
登録メール アドレス	@		

メモ

SNS

タイトル		ニックネーム	
ID			
パスワード パスコード			
登録メール アドレス	@		
メモ			

タイトル		ニックネーム	
ID			
パスワード パスコード			
登録メール アドレス	@		
メモ			

タイトル		ニックネーム	
ID			
パスワード パスコード			
登録メール アドレス	@		
メモ			

タイトル		ニックネーム	
ID			
パスワード パスコード			
登録メール アドレス	@		
メモ			

タイトル		ニックネーム	
ID			
パスワード パスコード			
登録メール アドレス	@		
メモ			

タイトル		ニックネーム	
ID			
パスワード パスコード			
登録メール アドレス	@		
メモ			

タイトル		ニックネーム	
ID			
パスワード パスコード			
登録メール アドレス	@		
メモ			

タイトル		ニックネーム	
ID			
パスワード パスコード			
登録メール アドレス	@		
メモ			

仮想通貨、FX

（仮想通貨＝暗号通貨、暗号資産、FX＝外国為替証拠金取引）

会社名	TEL （ ）	支店名	
取引口座番号			
ログインパスワード			
上記パスコード			
取引パスワードログイン ID			
上記パスコード			
暗証番号パスコード			
印鑑		メモ	

会社名	TEL （ ）	支店名	
取引口座番号			
ログインパスワード			
上記パスコード			
取引パスワードログイン ID			
上記パスコード			
暗証番号パスコード			
印鑑		メモ	

会社名	TEL　　（　　）	支店名	
取引 口座番号			
ログイン パスワード			
上記 パスコード			
取引パスワード ログイン ID			
上記 パスコード			
暗証番号 パスコード			
印鑑		メモ	

会社名	TEL　　（　　）	支店名	
取引 口座番号			
ログイン パスワード			
上記 パスコード			
取引パスワード ログイン ID			
上記 パスコード			
暗証番号 パスコード			
印鑑		メモ	

ネットその他

タイトル		
ID ユーザー名、ニックネーム、アカウント、ログイン		
上記パスコード		
パスワード		
上記パスコード		
登録メールアドレス	@	
登録携帯電話番号	(　　　)	
メモ		

タイトル		
ID ユーザー名、ニックネーム、アカウント、ログイン		
上記パスコード		
パスワード		
上記パスコード		
登録メールアドレス	@	
登録携帯電話番号	(　　　)	
メモ		

タイトル		
ID ユーザー名、ニックネーム、アカウント、ログイン		
上記パスコード		
パスワード		
上記パスコード		
登録メールアドレス	@	
登録携帯電話番号	(　　　)	
メモ		

タイトル		
ID ユーザー名、ニックネーム、アカウント、ログイン		
上記パスコード		
パスワード		
上記パスコード		
登録メールアドレス	@	
登録携帯電話番号	(　　　)	

メモ

タイトル		
ID ユーザー名、ニックネーム、アカウント、ログイン		
上記パスコード		
パスワード		
上記パスコード		
登録メールアドレス	@	
登録携帯電話番号	(　　　)	

メモ

タイトル		
ID ユーザー名、ニックネーム、アカウント、ログイン		
上記パスコード		
パスワード		
上記パスコード		
登録メールアドレス	@	
登録携帯電話番号	(　　　)	

メモ

ネット銀行、証券
クレジットカード
○○ペイ
SNS
仮想通貨、FX
ネットその他
その他

ネットその他

タイトル		
ID ユーザー名、ニックネーム、アカウント、ログイン		
上記パスコード		
パスワード		
上記パスコード		
登録メールアドレス	@	
登録携帯電話番号	(　　　)	
メモ		

タイトル		
ID ユーザー名、ニックネーム、アカウント、ログイン		
上記パスコード		
パスワード		
上記パスコード		
登録メールアドレス	@	
登録携帯電話番号	(　　　)	
メモ		

タイトル		
ID ユーザー名、ニックネーム、アカウント、ログイン		
上記パスコード		
パスワード		
上記パスコード		
登録メールアドレス	@	
登録携帯電話番号	(　　　)	
メモ		

タイトル		
ID ユーザー名、ニックネーム、アカウント、ログイン		
上記パスコード		
パスワード		
上記パスコード		
登録メールアドレス	@	
登録携帯電話番号	( )	

メモ

タイトル		
ID ユーザー名、ニックネーム、アカウント、ログイン		
上記パスコード		
パスワード		
上記パスコード		
登録メールアドレス	@	
登録携帯電話番号	( )	

メモ

タイトル		
ID ユーザー名、ニックネーム、アカウント、ログイン		
上記パスコード		
パスワード		
上記パスコード		
登録メールアドレス	@	
登録携帯電話番号	( )	

メモ

ネットその他

タイトル		
ID ユーザー名、ニックネーム、アカウント、ログイン		
上記パスコード		
パスワード		
上記パスコード		
登録メールアドレス	@	
登録携帯電話番号	(　　　)	
メモ		

タイトル		
ID ユーザー名、ニックネーム、アカウント、ログイン		
上記パスコード		
パスワード		
上記パスコード		
登録メールアドレス	@	
登録携帯電話番号	(　　　)	
メモ		

タイトル		
ID ユーザー名、ニックネーム、アカウント、ログイン		
上記パスコード		
パスワード		
上記パスコード		
登録メールアドレス	@	
登録携帯電話番号	(　　　)	
メモ		

タイトル		
ID ユーザー名、ニックネーム、アカウント、ログイン		
上記パスコード		
パスワード		
上記パスコード		
登録メールアドレス	@	
登録携帯電話番号	(　　　)	

メモ

タイトル		
ID ユーザー名、ニックネーム、アカウント、ログイン		
上記パスコード		
パスワード		
上記パスコード		
登録メールアドレス	@	
登録携帯電話番号	(　　　)	

メモ

タイトル		
ID ユーザー名、ニックネーム、アカウント、ログイン		
上記パスコード		
パスワード		
上記パスコード		
登録メールアドレス	@	
登録携帯電話番号	(　　　)	

メモ

その他

（ご自由に記入してご使用ください。）

タイトル			
メモ			

タイトル			
メモ			

タイトル			
メモ			

タイトル			
メモ			

タイトル			

メモ

タイトル			

メモ

タイトル			

メモ

タイトル			

メモ

その他

タイトル			

メモ

タイトル			

メモ

タイトル			

メモ

タイトル			

メモ

タイトル			

メモ

タイトル			

メモ

タイトル			

メモ

タイトル			

メモ

その他

タイトル			

メモ

タイトル			

メモ

タイトル			

メモ

タイトル			

メモ

タイトル			

メモ

タイトル			

メモ

タイトル			

メモ

タイトル			

メモ

【著者】
矢久 仁史（やく ひとし）

◆プロフィール

1962年東京都生まれ。大学卒業後、都内のメーカーに勤務し、現在営業企画部部長。お金の神様といわれた邱永漢氏（故人）の大ファンで株式投資歴は35年以上。投資対象は日本、中国、アメリカ、インド、タイ、ベトナムなどの現物株や投資信託、外貨、債券、仮想通貨、金銀白金、不動産、保険など幅広い。
旅行が好きで、大学時代は「野宿研究会」という大学のサークルに所属し、国内ではヒッチハイクと野宿で全国を回り、海外もさまざまな国をバックパッカーとなって放浪。現在でも年に4～5回は有給休暇を上手に使って海外旅行を楽しんでおり、趣味の旅行、ゴルフの費用はすべて株式投資の利益でまかなっている。定年後は、投資で築いた資産で海外と日本の2拠点生活を夫婦で行うことが目標。
主な著書に『株で3億稼いだサラリーマンが息子に教えた投資術』（双葉社）、『資産をガッチリ増やす！ 超かんたん「スマホ」株式投資術』『資産をもっとガッチリ増やす！超かんたん「スマホ」株式投資術【実践編】』（彩図社）、『人生100年時代！ 一番やさしい失敗しない投資入門』（河出書房新社）、『Tポイントで株式投資』（主婦の友社）がある。

〈注意〉
本書は資産管理の手法の一部を紹介したものです。資産管理は、ご自身の責任において行われますようお願いいたします。資産管理におけるいかなる損失、結果についても、当社及び著者は一切の責任を負いませんのであらかじめご了承ください。また、本書が紛失、盗難にあった際の個人情報の安全性を完全に保障することはできません。

簡単な暗号化と書き込み式で安心・安全・効果的！
アナログで管理するＩＤ＆パスワードノート

2021年11月20日　初版印刷
2021年11月30日　初版発行

著者……矢久仁史

発行者……小野寺優

発行所……株式会社河出書房新社
〒151-0051　東京都渋谷区千駄ヶ谷2-32-2
電話 03-3404-1201（営業）03-3404-8611（編集）
https://www.kawade.co.jp/

構成協力……熊谷充晃
イラスト……星わにこ
装丁・本文デザイン・ＤＴＰ……原沢もも
編集……菊池企画
企画プロデュース……菊池 真

印刷・製本……三松堂株式会社

Printed in Japan　ISBN978-4-309-29169-7